Puppy in my Pocket

Une journée dans la neige

D1456926

Sierra Harimann
Illustrations : The Artifact Group
Texte français de Marie-Andrée Clermont

Éditions
■ SCHOLASTIC

Catalogage avant publication de Bibliothèque et Archives Canada

Harimann, Sierra

[Snowed in! Français]

Une journée dans la neige/Sierra Harimann ;
illustrations de Artifact Group; texte français de Marie-Andrée Clermont.

(Puppy in my pocket)
Traduction de: Snowed in!
ISBN 978-1-4431-3291-6 (couverture souple)

1. Clermont, Marie-Andrée. traducteur II. Artifact Group, illustrateur
III. Titre: Snowed in! Français.

PZ23.H367Jou 2014   j813'.6   C2013-904827-8

Édition publiée par les Éditions Scholastic, 604, rue King Ouest, Toronto (Ontario) M5V 1E1.

5 4 3 2 1   Imprimé au Canada 119   14 15 16 17 18

MIXTE
Papier issu de
sources responsables
FSC® C103113

Fuji et Spike arrivent du cinéma. Une bouffée d'air froid s'engouffre à l'intérieur du manoir de Puppyville lorsqu'ils rentrent.

— Vite! Ferme la porte! jappe Spike à Fuji. Il fait froid dehors!

— Vous avez de la chance, dit Montana à ses amis. Je viens de préparer du thé et un petit goûter. Vous en voulez?

— Oui, s'il te plaît! dit Fuji. J'adorerais quelque chose de chaud.

Montana sert du thé à ses amis.

— Je suis si contente qu'il fasse froid dehors! glapit-elle joyeusement.

— Je ne comprends vraiment pas pourquoi ce froid te fait autant plaisir, grommelle Spike. Moi, je déteste l'hiver.

— Cette fin de semaine, explique Montana, ma tante Éléonore vient me rendre visite avec ses jumeaux, Lenny et Maxwell. J'espère qu'il va neiger. J'aimerais tellement construire un fort et faire une bataille de boules de neige!

— Ça me paraît bien amusant! dit Fuji à son amie. Quand est-ce qu'ils arrivent?

— Demain soir, répond Montana. Ils vont loger à l'Auberge des Pics enneigés, de l'autre côté de la montagne. Il y a une côte fantastique pour glisser en traîneau, là-bas.

— Alors je vais croiser les doigts pour qu'il neige, dit Spike, même s'il préfère les chaudes plages ensoleillées.

Montana et Fuji se rendent à la cuisine pour faire
la vaisselle.

— Si j'ai bien compris, on attend de la visite? demande Gigi.

— Mais oui! jappe Montana allègrement.

— Alors, il va nous falloir des petites gâteries, conclut Gigi.
J'allais justement sortir. Je peux acheter des croissants et des
éclairs à la boulangerie si tu veux.

— Ou je peux t'aider à cuisiner des délices maison, Montana, dit Fuji. Si on faisait mes fameux biscuits boules-de-neige? Ça aiderait peut-être ton vœu à se réaliser.

— Merci, Fuji! aboie Montana. Ce serait super.

Quelques heures plus tard, les biscuits refroidissent et Montana se prépare à aller au lit. Elle sait qu'elle aura du mal à s'endormir tellement elle a hâte de voir sa tante et ses cousins.

Le lendemain matin à son réveil, Montana court à la fenêtre. Une épaisse couche de neige recouvre le sol et des glaçons étincelants pendent aux arbres.

— Youpi! glapit Montana à tue-tête. Il a neigé! Mon vœu s'est réalisé!

— Tu devrais écouter ça, dit Freddy en montrant le téléviseur.

« À cause de cette importante chute de neige, la route du col sera fermée jusqu'à nouvel ordre », annonce le chiot-météo.

— Oh non, dit Montana en perdant le sourire.
La route du col est la seule voie d'accès à Puppyville!
Ça veut dire que tante Éléonore, Lenny et Maxwell ne
pourront pas venir.

Les autres chiots essaient de consoler Montana.

— Si on faisait un chiot de neige juste devant le manoir de Puppyville? suggère Spike.

— Viens, on va construire un fort et organiser une bataille de boules de neige, propose Sammy. On va bien s'amuser.

Montana pousse un soupir.

— Merci, les copains, dit-elle, mais ce ne sera pas pareil sans mes cousins. Moi qui avais tellement hâte de les voir...

Quelques heures plus tard, Speckles et Dottie s'arrêtent au manoir pour proposer à Montana et aux autres chiots d'aller patiner sur le lac.

— Merci de l'invitation, dit Montana à ses amis, mais je ne suis pas d'humeur à patiner.

— Tu es certaine? demande Speckles. Le lac est gelé et avec la neige fraîche, le paysage est particulièrement joli. Viens, on va bien s'amuser.

— Ma tante et mes cousins qui habitent loin devaient venir, mais la route du col est fermée, explique Montana. Je ne pense pas qu'ils pourront se rendre jusqu'ici, mais je dois rester au manoir pour voir ce qui va se passer.

Dring-dring!

Le téléphone portable de Montana sonne.

— Allô? dit Montana. Bonjour, tante Éléonore.

Elle s'arrête pour écouter.

— Je ne suis pas certaine, mais je peux essayer, répond-elle enfin avant de raccrocher.

— Qui c'était? demande Spike.

— C'était ma tante, répond Montana. Avec mes cousins, elle a fini par arriver à l'Auberge des Pics enneigés. Mais comme la route est fermée, ils ne peuvent pas aller plus loin. Elle voulait savoir s'il m'était possible de les retrouver là-bas. Mais je ne vois vraiment pas comment.

— Attends! s'écrie soudain Speckles. Je sais ce que tu peux faire! Dottie et moi, on a justement eu des skis la semaine dernière. Tu peux emprunter les miens et traverser le col à skis!

— Excellente idée, Speckles! dit Dottie à son frère.

— *Hum*, fait Montana. Ça pourrait marcher... sauf que je ne sais pas skier!

— Dottie est une très bonne skieuse, dit Speckles. Je suis sûr qu'elle pourrait y aller avec toi et t'apprendre à skier. Pas vrai, Dottie?

— Bien sûr! aboie joyeusement Dottie.

— Vraiment? demande Montana. Tu ferais ça pour moi? Merci, Dottie!

— Avec plaisir, dit Dottie. Speckles et moi, on va aller chercher les skis pendant que tu prépares tes affaires et que tu t'habilles. On revient bientôt!

Montana enfile un blouson chaud, un cache-oreilles et des mitaines pour ne pas avoir froid en se rendant à l'Auberge des Pics enneigés.

— N'oublie pas les biscuits boules-de-neige qu'on a faits! dit Fuji en les plaçant dans une boîte. Tu devrais les prendre pour les partager avec ta tante et tes cousins.

— Merci, Fuji! aboie Montana. Tu es formidable!

Dès qu'elles sont prêtes, Montana et Dottie se mettent en route. Tout le long du parcours, Dottie donne des conseils à Montana.

— Plie un peu les genoux, suggère-t-elle. Et garde tes skis parallèles. Maintenant, pousse vers l'avant. Surveille ton équilibre!

— Hum... d'accord, dit Montana en s'élançant sur un ski. Allons-y!

— Super! l'encourage Dottie. Tu t'en tires bien. Nous y serons en un clin d'œil.

— Superbe! s'écrie Montana, le souffle coupé, quand elles atteignent l'Auberge des Pics enneigés. C'était vraiment amusant! Merci infiniment de m'avoir aidée aujourd'hui. J'ai appris à skier, *et de plus*, je vais voir ma tante et mes cousins!

— Montana! s'écrie Lenny. Tu as réussi! Est-ce que tu es venue de Puppyville à skis?

— Fantastique! ajoute Maxwell.

— Calmez-vous, les garçons, dit tante Éléonore en riant, calmez-vous. Montana, quel plaisir de te revoir!

— Et c'est formidable de vous voir tous les trois! jappe Montana.

Montana, Lenny et Maxwell passent le reste de l'après-midi à faire un chiot de neige. Il a l'air tellement vrai que les écureuils ont peur de s'en approcher.

Pendant ce temps, tante Éléonore apprend à faire du ski avec Dottie.

— Oh là là! s'écrie-t-elle en dévalant une petite pente. *Wouhou!*

Cela fait rire tout le monde. Puis ils vont tous à l'intérieur pour prendre une collation de lait chaud et de biscuits boules-de-neige.

Quelle belle journée dans la neige sous le signe de l'amitié et du plaisir en famille! Montana est au comble du bonheur!